Arte y cultura

Big Ben

Figuras

Logan Avery

Esta es la Torre de Isabel.

Está en Londres.

La campana que
está en la torre se
llama Big Ben.

Las personas también llaman a la torre Big Ben.

Big Ben tiene círculos.

Hay círculos en
el reloj.

Big Ben tiene cuadrados.

Hay cuadrados alrededor del reloj.

Big Ben tiene un triángulo.

Hay un triángulo cerca de la cima.

Big Ben tiene rectángulos.

El lado tiene rectángulos grandes.

Big Ben tiene figuras.

¿Qué figuras ves?

Resolución de problemas

Dibuja tu propia torre. Usa una o más de cada figura.

- círculo
- triángulo
- cuadrado
- rectángulo
- hexágono

Soluciones

Los dibujos variarán, pero deben incluir una o más de cada figura: círculo, triángulo, cuadrado, rectángulo y hexágono.

Asesoras

Nicole Belasco, M.Ed.
Maestra de jardín de niños, Distrito Escolar Colonial

Colleen Pollitt, M.A.Ed.
Maestra de apoyo de matemáticas, Escuelas Públicas del Condado de Howard

Créditos de publicación

Rachelle Cracchiolo, M.S.Ed., *Editora comercial*
Conni Medina, M.A.Ed., *Redactora jefa*
Dona Herweck Rice, *Realizadora de la serie*
Emily R. Smith, M.A.Ed., *Realizadora de la serie*
Diana Kenney, M.A.Ed., NBCT, *Directora de contenido*
June Kikuchi, *Directora de contenido*
Véronique Bos, *Directora creativa*
Robin Erickson, *Directora de arte*
Caroline Gasca, M.S.Ed, *Editora superior*
Stacy Monsman, M.A.Ed., *Editora*
Karen Malaska, M.Ed., *Editora*
Michelle Jovin, M.A., *Editora asociada*
Sam Morales, M.A., *Editor asociado*
Fabiola Sepúlveda, *Diseñadora gráfica*
Jill Malcolm, *Diseñadora gráfica básica*

Créeditos de imágenes: pág.4 Richard Bryant/Arcaid Images/Alamy; todas las demás imágenes provienen de iStock y/o Shutterstock.

Library of Congress Cataloging-in-Publication Data

Names: Avery, Logan, author.
Title: Arte y cultura. Big Ben : figuras / Logan Avery.
Other titles: Art and culture. Big Ben. Spanish | Big Ben
Description: [Huntington Beach, CA] : Teacher Created Materials, Inc., [2020] | Series: Mathematics readers | Audience: K to grade 3.
Identifiers: LCCN 2018052855 | ISBN 9781425828363 (pbk.)
Subjects: LCSH: Shapes--Juvenile literature. | Big Ben (Tower clock)--Juvenile literature.
Classification: LCC QA445.5 .A92518 2020 | DDC 516/.15--dc23 LC record available at https://lccn.loc.gov/2018052855

Teacher Created Materials
5301 Oceanus Drive
Huntington Beach, CA 92649-1030
www.tcmpub.com

ISBN 978-1-4258-2836-3

Printed by: 51497
Printed in: China